© Éditions Équinoxe, MAI 2009
La Massane
Les Joncades Basses
13210 Saint-Remy-de-Provence

ISBN : 978-2-84135-664-5

Mise en page de l'auteur, réalisation Étienne Marie

www.editions-equinoxe.com

Alsace

textes & photos de
Jacques Schlienger

ÉQUIN•XE

Préface

L'Alsace est ma terre natale, le pays de mon enfance. Je me suis tant nourri de ses paysages et abreuvé de sa lumière que j'y reste viscéralement attaché ; et bien que vivant dans les Alpes-Maritimes, je me sens toujours plus Alsacien que méridional. Il était temps pour moi après quatre ouvrages sur la région sud-est, d'y porter enfin mon regard photographique. C'est ma manière de lui donner à mon tour un peu de ce qu'elle m'a tant offert en proposant ici, un hommage à sa beauté.

Je vous propose un voyage qui s'organise autour de la route des vins, là où se concentre ce qui suscite chez moi la plus grande émotion ; peut-être que d'avoir vécu à Châtenois n'a pas été sans influence ! Ce livre je l'ai construit lors de vacances prises à différentes saisons. Je suis parti avec mon appareil photo comme un peintre l'aurait fait avec sa toile, pour retranscrire les impressions visuelles accumulées depuis l'enfance. Je tenais avant tout à vous montrer ma vision du vignoble qui s'étale de la plaine aux collines sous-vosgiennes, quand les tapis de vignes épousent les reliefs et cousent les parcelles en un gigantesque patchwork. Puis vous parler de l'explosion des couleurs sous les ors de l'automne ou de leurs chuchotements sous les pastels de la brume et de l'onirisme pictural qui en découle. Mais aussi vous raconter les petits villages et leurs ambiances de contes de fées, avec les maisons à colombage aux couleurs si éclatantes et les châteaux médiévaux dressés sur les collines, au milieu d'épaisses forêts. J'ai aussi tourné mon objectif vers quelques joyaux comme Colmar, Selestat, Strasbourg, Wissembourg…

Vous l'aurez compris, cette balade photographique ne se veut en aucun cas être un guide touristique et n'a aucune prétention culturelle. Pardon aux oubliés, mais étant donné la richesse culturelle et historique, la diversité architecturale, gastronomique et géographique, 2000 pages n'auraient pas suffi pour vous raconter toute l'Alsace.

Ce livre est plutôt un parti pris pour les ambiances lumineuses rencontrées dans cette région.

La progression de la balade se fait globalement du sud vers le nord sur la route des vins avec quelques détours. Parfois certaines associations de photos pourront paraître incongrues à un puriste de la géographie, mais là encore nous avons privilégié l'harmonie chromatique à la rigueur de la localisation. Enfin nous avons préféré des légendes laconiques pour laisser libre cours à votre lecture de l'image.

En route maintenant !

Jacques Schlienger.

Colmar : petite Venise

Colmar : quai de la Poissonnerie

Colmar : petite Venise

Colmar : petite Venise

Colmar : cloître du musée Unterlinden

Le drapier à l'angle de la maison « Zum Kragen » (1609)

Maison Pfister (1537)

Vignoble d'Eguisheim

Niedermorschwihr

Ammerschwihr

Eguisheim

Détail de maison à colombage, Eguisheim

Katzenthal

Vignoble de Katzenthal

Katzenthal vue du Wineck

Vignoble de Gueberschwihr

Ecomusée d'Alsace à Ungersheim : métiers d'antans

Ecomusée

Ecomusée

Détail d'une « Stube », musée du pain d'épices Lips à Gertwiller

Kaysersberg

Zellenberg

Vue plongeante sur Kaysersberg

Kientzheim, Kaysersberg et son château

Ruelle à
Kaysersberg

41

Kaysersberg : église du XVIᵉ siècle

Sigolsheim et Ammerschwihr

Kientzheim

Hunawihr, son église bi-œcuménique et son enceinte du XIXᵉ siècle

49

Ambiance matinale dans un corps de ferme

Zellenberg

Montée vers la nécropole de Sigolsheim

Le vignoble de Riquewihr

56

Riquewihr : le Dolder

Fontaine du Sinn Brunnen

Riquewihr

Riquewihr

Riquewihr

Hunawihr ▶

Ribeauvillé : château de Girsberg

Cigogneaux : quelques jours après l'éclosion

Ribeauvillé : Grand rue

Ribeauvillé

Vue depuis le cimetière allemand de Bergheim sur le vignoble de Rodern et le Haut-Koenigsbourg

Bergheim : Porte-Haute

Bergheim : vignoble du château du Reichenberg

Bergheim : fontaine, place du marché

Saint-Hippolyte et ses vignes

Saint-Hippolyte

Château de Kintzheim et du Haut-Koenigsbourg

Château du Haut-Koenigsbourg ▶

Mer de nuages sur la plaine d'Alsace depuis le Haut-Koenigsbourg

Ruines de l'Oedenbourg (ou petit Haut-Koenigsbourg)

*Haut-Koenigsbourg,
grand bastion*

Façade sud

Haut-Koenigsbourg, logis seigneurial et donjon

Le moulin

Haut-Koenigsbourg,
escalier d'honneur

Châtenois : « Tour des sorcières »
porte du XVᵉ siècle

Angle de maison sculpté (Kientzheim)

*Châtenois : « Tour des sorcières »
et son église au clocher roman
flanqué de quatre échauguettes*

Campagne environnante de Scherwiller

Diffenthal

Vignoble de Scherwiller

Château de l'Ortenbourg
(Scherwiller)

Selestat : église romane de Sainte-Foy (XIIᵉ siècle)

Selestat : bibliothèque Humaniste, buste de Mentel (F.67600)

Dambach s'éveille…

Dambach vue depuis le Bernstein

Chapelle Saint-Denis, Wolxheim

Blienschwiller

Nothalten

Itterswiller

Barr

Avolsheim

Stotzheim

Andlau, église Saint-André

Ebersmunster

Château de Landsberg

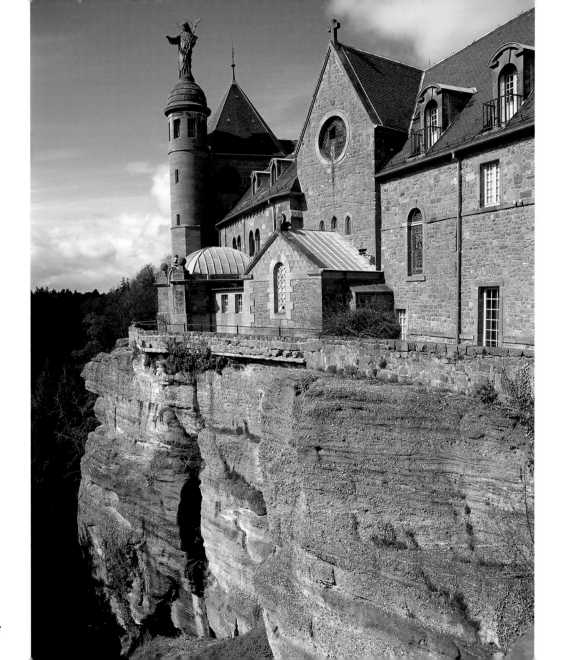

Site du Mont Saint-Odile

Forêt de Saint-Nabor

Château d'Ottrot

Obernai

Tour de la chapelle,
beffroi du XIIIᵉ siècle

Wissembourg :
petite Venise

Wissembourg, bas-relief

Maison du sel

Eglise Saint-Pierre et Saint-Paul, XIIIe siècle

Wissembourg

Strasbourg : ponts couverts

Quai de la Petite France

Les toits de Strasbourg depuis la cathédrale

Strasbourg : la Petite France

Strasbourg : maison Kammerzell

Strasbourg : intrusion sur les toits

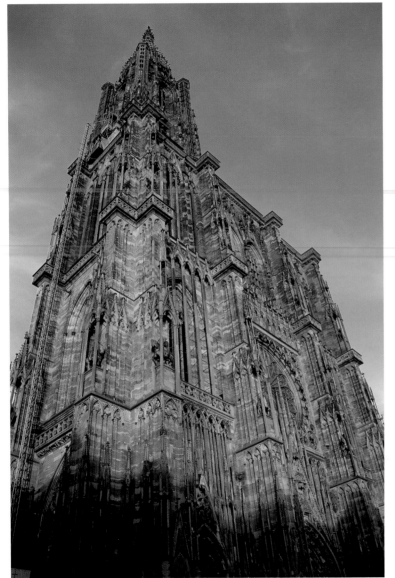

Strasbourg : la cathédrale

Son marché de Noël

Coucher de soleil sur l'Il

Strasbourg : la Petite France

Strasbourg : la Petite France

Achevé d'imprimer en mai 2009 sur les presses de l'imprimerie Grafiche Zanini, à Bologne, en Italie.